초 빛, 우리

진심

초록빛, 우리

진심

어릴 적부터, 유난히 초록색을 좋아했습니다.
초록색을 좋아하게 된 이유는 없습니다.

그저 초록빛을 보며, 조금이라도 마음의 평안을 찾기를 바라는 마음으로 글을 쓰고, 사진을 찍었습니다.

사람들에 치여서 지친 날,
스트레스를 많이 받은 날,
광합성을 할 시간이 없을 정도로 바쁜 날

저는 그런 날이면 항상 초록색의 무언가를
보고 싶어 했던 것 같습니다.

따스한 햇살을 맞을 수 있는 곳에서
이 책을 읽으며,
초록빛의 세상을 둘러 보아주셨으면 합니다.

모두 행복하셨으면 좋겠습니다.

차례

프롤로그 9

초록빛, 우리 14
초록빛 16
안개 긴 초록 18
초여름 22 여름 24 끝여름 25
접시꽃 26 나이테 28 화원 30
반대말 32 숲 34 마음의 깊이 36
흔들림 38 여름 능소화 40 위로 42
빛 44 땡모반 46 물놀이 48
사랑의 정의는 고양이 50
장마 52 비가 많이 오는 날 54
쉬는 날 56 우산 58
스톰의 맑은 눈동자 60
내가 사랑한 초록 62
진심바 64
야경을 보며 생각한 것 92

에필로그 97

초록빛, 우리

초록빛으로 가득 찼던 나의 어린 날이
유난히 생생하게 느껴지는 장소가 있습니다.

바쁜 부모님을 대신해서 어린 나와 동생들을
할아버지, 할머니가 키워주셨습니다.

그래서 할아버지, 할머니 댁에만 가면 아무것도 하
지 않아도, 그냥 기분이 좋아집니다.

커다란 고무 대야에 물을 받아서 신나게 수영을 하
던 기억, 수영을 다 하고 할아버지가 사오신 아이
스크림을 맛있게 먹었던 기억, 선풍기 바람을 맞으
며 할머니가 우리를 위해서 썰어주신 수박을 먹었
던 기억, 거실에 누워서 창문을 통해 들어오는 바
람을 느끼며 누워있던 기억, 사랑스러운 강아지 해
피와 함께 산책을 다녀오고 마당에서 뛰어놀았던
것.

이처럼 생생히 떠오르는 초록빛의 행복한 기억들
덕분인 것 같습니다.

할아버지, 할머니 항상 고맙고, 사랑해요

초록빛

초록의 볕이 드는 곳으로 함께 가자
그곳에서는 아무런 생각도 하지 말자
초록 잎을 보며 아무런 생각도 하지 않다 보면
바람이 모든 고민을 가져가 줄 거야
그러니 아무런 생각도 하지 말고,
그저 멍하게 앉아 있자

싱그러운 초록빛의 나뭇잎을
비추는 햇살처럼,
나뭇잎이 우리를 비춰줄 거야

분명, 그럴 거야.

안개 낀 초록

내가 태어나고 자란 제주는
초록으로 가득 차있는 섬입니다.
내가 가장 좋아하는 색은 초록이고,
그중에서도 진한 초록색을 가장 좋아합니다.
초록이 유난히 선명하게 보이는 날이 있는데, 그날
중에서도 특히 흐린 날 안개가 가득 낀 초록을 좋
아합니다.

당신은 어떤 날의 초록을 가장 좋아하시나요?
– (   )

초여름

사계절 중,
색이 가장 뚜렷하고 명확하게
나타나는 계절의 초반인 초여름

우리도 우리만의 뚜렷한 계절을
찾기 위해 방황하는 중이 아닐까?

여름

열정이 가득했던,
지난날을 괜히 생각해 보게 만드는 계절

더욱더 열심히 살아야지 싶다가도
에어컨 앞에서 더위를 식히기 위해
축 늘어지는 계절

여름처럼 진한 색을 가진,
어른이 되면 좋겠다는 생각을 해

끝 여름

초가을로 넘어가기 전,
더욱더 아름답게 힘껏 빛을 내는 계절

여름이 끝나는 건 아쉽지만,
우리에게는 다음 해의 여름이 있으니까

가을, 겨울, 봄에는
돌아올 빛나는 여름을 위해
더욱더 열심히 살아내야지

접시꽃

접시를 닮았고, 꽃말은 단순, 사랑.

접시 한가득 맛있는 것을
담아 주고 싶은,
그런 단순한 마음

그게 바로 사랑이 아닐까?

나이테

이 나무는 몇 해나 산 나무일까?

나무처럼 계속해서 죽지 않고 산다면,
과연 행복할까?

봄, 여름, 가을, 겨울을 계속 반복하며
한자리에서 산다는 것은 어떤 것일까?

나도 나무처럼 오랜 시간을 살아내면,
나무처럼 단단한 사람이 될 수 있을까?

화원

커다란 화원 같은 세상이
내가 바라보는 그대로 담기길 바라며
또 다시 카메라를 꺼내서
자연스레 또 사진을 찍어

예쁜 것을 보면 사진을 찍어서
내가 사랑하는 사람들에게 보내주고,
내가 본 세상을 보여주는 것을 좋아해

이 책에는 내가 사랑하는
커다란 화원 같은 세상을 담아보려 해

반대말

무의미한 말, 나약한 약속, 윤회, 운명의 굴레,
믿음, 끊어내기

유의미한 말, 반드시 지켜낼 약속, ‒, ‒, ‒,

숲

숲은 많은 사람들의 이야기를 엿들어
그래서, 아마도, 어쩌면.

너무 많은 것을 알게 되어서,
더 복잡해진 게 아닐까?

너무 많은 것을 알고 있다는 게,
마냥 좋지만은 않을 것 같아.

숲에게도 고민이 있을 텐데,
귀 기울여 주지 못해서 미안해.

마음의 깊이

아주 맑고 깊은 눈동자와 윤슬
아름다우며, 맑고,
감히 깊이를 가늠할 수 없지

탁한 눈동자와 흙탕물
생기 없으며, 뿌옇고,
깊이가 한눈에 보이지

사람의 마음도 비슷한 것 같아.

흔들림

카메라가 초점을 잃고,
흔들리는 순간
나는 새로운 사실을 깨닫게 되었다

초점을 잃고 휘청거리더라도,
그 순간순간마저도.

아름다운 존재라는 것임에는
변함이 없다는 것을

여름 능소화

비가 오고,
아무리 더워도,
굳건하게 꽃을 피워서
하늘을 업신여기는 꽃이라고 하는 능소화

예쁘고, 강하고, 굳건한.
그래서 난 능소화가 참 좋아

위로

푸른빛을 띄는 바다보다
초록빛을 띄는 숲을 보는 게 좋아서,

마음이 답답할 때는 숲으로 도망가고는 해.
숲에 가서 조용히, 아주 조용히,
초록빛을 쳐다보면, 마음이 편안해져.

너도 피곤할까 봐, 아무런 이야기 없이,
그저 바라만 보고도, 위로를 받았어.

고마워 숲아.

빛

빛을 받기 전의 숲은 고요하고, 무섭다

하지만 빛을 받는 순간부터
새들이 지저귀는 소리가 들리고,
초록색이 가득해져,
전혀 무섭지 않게 된다.

아마 우리의 인생도
빛이 적게 들어오는 날,
적당히 들어오는 날,
많이 들어오는 날들로
이루어져 있지 않을까?
라고 생각했다.

땡모반

여름이 되면 항상 땡모반이 생각이 난다.

더운 여름, 일을 하고 퇴근을 하면서
땡모반 한 잔을 사고 마시며,
거리를 거닐면서 새소리를 들으면,
그날 하루의 피로가
녹아내리는 듯한 느낌이 든다.

나는 단순한 편이라,
스트레스를 받는 일이 있어도,
이렇게 땡모반 한 잔에
스트레스가 날아가 버린다.

사람들이 여름에는 조금 더 단순해져도
좋을 것 같다고 생각했다.

물놀이

요즘 내가 푹 빠진 취미가 있다.
바로, 수영이다.

10여 년 만에 엄마랑 남자친구랑
계곡으로 수영을 가게 되었는데,
그날 이후로 수영을 하러 가는 게 좋아졌다.

시원하다 못해,
몸이 얼어버릴 정도로 차가운 물에
몸을 맡기고 물에 누워서 둥둥 떠다니면서
하늘을 바라보는 것만으로도
세상을 다 가진 것만큼 행복하다

또, 실컷 수영을 하고 마시는
땡모반 역시 최고다.

아, 내일도 수영하러 가야겠다.

사랑의 정의는 고양이

나에겐 세상에서 둘도 없는
예쁜 아가가 둘이나 있다.
이름은 진심바, 임스톰.

심바는 연한 갈색 눈과
밀크티 색의 털을 가졌고,

스톰은 에메랄드빛 초록 눈과
회색빛의 털을 가졌다

아가들을 바라보는 것만으로도 행복하다
존재만으로도, 힘이 나게 하는 나의 아가들
오래오래 건강해 줘, 많이 사랑해

* 심바랑 스톰은 사진을 찍으려고 하면 계속해서 움직여서,
길에서 만난 아가의 사진으로 대체했습니다.

장마

제주에는 장마가 시작되었습니다
많은 비가 내릴 줄 알았지만
그러지 않았습니다

번개가 수백 번씩 치지만
비가 내리지 않는 날도 있었습니다

제주의 날씨는 변덕스러워서
하루에 수십 번씩 바뀝니다

그런 날씨가 사람의 기분 같다고 생각했습니다
날씨의 영향을 크게 받는 저는
더운 것을 정말 싫어합니다

집에서 심바, 스톰과 함께
장마가 끝나기를 기다렸습니다

드디어,
장마가 끝났고,
가을이 되었습니다.

비가 많이 오는 날

오늘은 하늘이 뚫린 것처럼
많은 비가 내렸습니다

하늘을 보니 맑은 구름이 반,
흐린 구름이 반 떠있었습니다

하늘에서 내리는 비를 보니
할아버지, 할머니 생각이 났습니다
전화를 해보니 서귀포에는
비가 내리지 않는다고 했습니다

평생을 제주에서 자랐지만,
여전히 제주의 날씨는 어렵습니다

제가 사람들의 기분을
쉽게 알 수 없는 것 처럼요.

쉬는 날

쉬는 날에는 아무것도 하고 싶지 않습니다
집에서 심바, 스톰의 밥과 간식을 챙겨주고,
심바, 스톰과 하루 종일 같이 잠을 잤습니다

열심히 일을 하면
꼭 쉬어야 하는 습관이 있습니다

이렇게 하루 종일 쉬어야만,
다음날도, 그다음 날까지도,
다시 열심히 무엇이든
해낼 수 있기 때문입니다

열심히 일을 하는 것도,
열심히 쉬는 것도,
꼭 필요하다고 생각했습니다

우산

제주에서 태어나고,
자란 나는 우산을 잘 쓰지 않는다

제주의 바람은 너무나도 세서
우산이 10초도 안 지나서
뒤집어지기 때문이었다

우산을 써도,
쓰지 않아도,
비를 맞는 것은 똑같았다

우산과 소문이 비슷하다는 생각을 했다

좋은 일을 했던,
나쁜 일을 했던,
욕을 먹는 것과 비슷하다고 말이다

어차피 사람들은 타인을
제멋대로 판단을 할 테니
나는 그저 나답게 살기로 했다

임스톰

스톰은 동그란 초록빛의 맑은 눈동자를
가지고 있습니다

스톰의 눈을 쳐다볼 때마다,
눈 속으로 빠져드는 것 같습니다

스톰의 눈을 보면,
이유 모르게 기분이 좋아집니다

스톰은 밥도 잘 먹고,
간식도 잘 먹습니다
뭐든 잘 먹어서,
매번 좋은 간식을 사주고 싶어서
펫 마트에 매일 같이 가고는 합니다

아,
어쩌다 보니 또 고양이를 자랑해버렸습니다

내가 사랑한 초록

맑은 초록
연한 초록
더 연한 초록
그보다 더 연한 초록

깊은 초록
깊이를 알 수 없는 초록
어두운 초록
더 어두운 초록
그보다 더 어두운 초록

그중에서 가장 사랑하는 초록은
에메랄드 초록빛을 띠는 스톰의 눈동자

64

카페에 들려 밀크티를 샀습니다

밀크티를 보면서
가장 먼저 생각난 것은
심바였습니다

밀크티의 색과 심바의 털색을
비교해 보았습니다

정말로 색이 완벽하게 똑같았습니다

심바가 제가 살고 있는 집으로 와서
우리가 되어준지 벌써 9개월이 되었습니다

심바가 가장 좋아하는 음식은 우유입니다
펫 밀크 100개를 마셨습니다

심바가 행복하게 우유를 마실수록
심바의 얼굴에서는 우유의 고소한 냄새가
점점 진해졌습니다

너무나도 사랑스럽습니다

또 .. 고양이 자랑을 해버렸습니다
지금도 우유를 달라고 옆에서 기웃거립니다

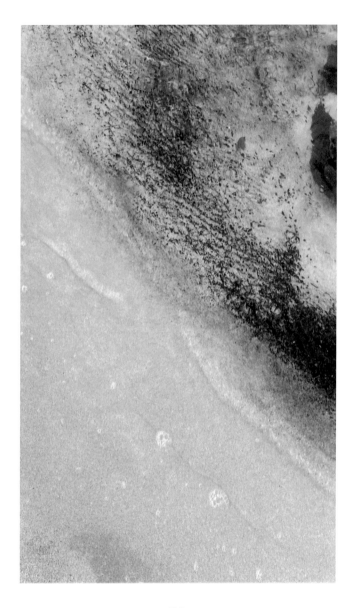

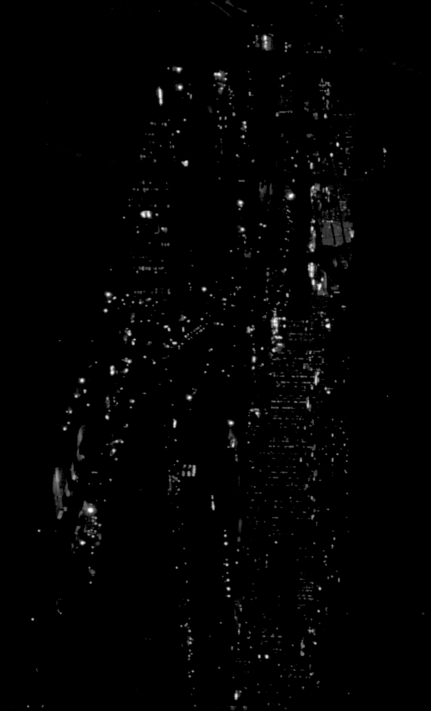

야경을 보며 생각한 것

나무 아래에 앉아서
반짝이는 불빛들을 보며
한참 동안 생각에 잠겼다

그 생각의 결론은
내가 본 세상이
전부가 아니라는 것이었다

세상엔 내가 겪어보지 못한 것
가보지 못한 곳, 먹어보지 못한 음식
그리고 본 적이 없는 수많은 사람이 많다

그렇기에 내가 살아온 작은 세상에서
만난 인간관계에서 받은 상처에
감정 소모를 할 필요가 없다고 생각했다

그러니 누가 어떤 말을 해도
나는 절대 쉽게 무너지지 않을 것이다

에필로그

4333333333333333333333333333333333333
3333333333333333333333333333333333333
3333333333333333333333333333333333333
3333333333333333333333333333333333333
3333333333333333333333333333333333333
3333332333333390ㅋㅁㅌㅌㅌㅌㅌㅌㅌㅌㅌ
ㅌㅌㅌㅌㅌㅌㅌㅌㅌㅌㅌㅌㅌㅌㅌㅌㅌ트

- 심바 -

초록빛, 우리

지은이 | 진심
발　행 | 2024년 08월 22일
펴낸이 | 한건희
펴낸곳 | 주식회사 부크크
출판등록 2014.07.15.(제2014 16호)
주　　소 | 서울 금천구 가산디지털1로 119, SK트윈타워 A동 305호
전　화 | 1670- 8316
이메일 | info@bookk.co.kr

ISBN 979-11-419-5475-8
www.bookk.co.kr